L'OURS BLANC

Texte : Michel Quintin
Illustrations : Jacqueline Fortin

ÉDITIONS
MICHEL
QUINTIN

L'ours blanc vit dans l'Arctique, c'est le roi du Grand Nord.

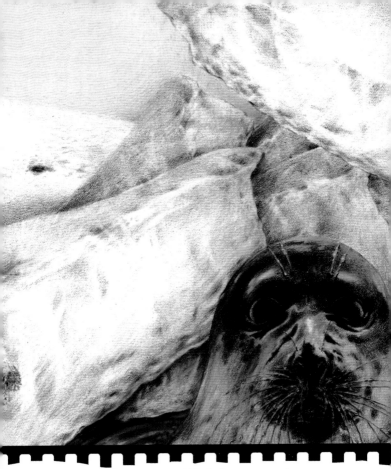

Le phoque est le mets préféré de ce carnivore.

Il se nourrit aussi de poissons et de petits mammifères.

Parfaitement adapté à la vie aquatique, c'est un excellent nageur.

L'ours blanc, qu'on appelle aussi ours polaire,
vit généralement seul.

L'homme et les autres ours blancs sont ses plus redoutables prédateurs.

Seuls les femelles et leurs bébés dorment tout
l'hiver.

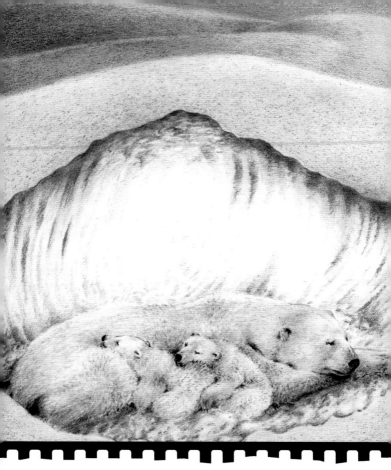

La tanière est creusée dans un banc de neige près
du littoral.

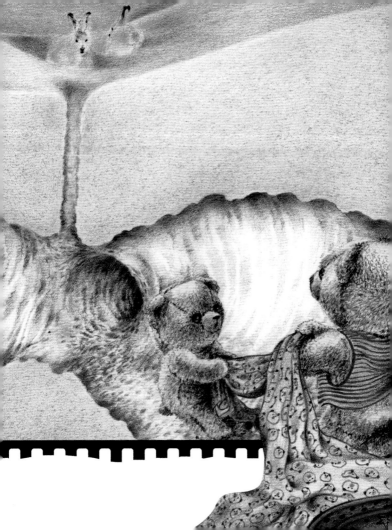

La femelle a en moyenne deux oursons par portée.

Elle s'occupe seule de ses petits durant un peu
plus de deux ans.

Dans son grand royaume polaire, l'ours blanc
peut vivre 30 années.

Catalogage avant publication de Bibliothèque et Archives Canada

Quintin, Michel

   L'ours blanc

   (Mini-faune)
   Publ. à l'origine dans la coll.: Ciné-faune.
   Pour enfants de 3 ans et plus.

   ISBN 2-89435-292-1

1. Ours blanc - Ouvrages pour la jeunesse. I. Fortin, Jacqueline, 1952- . II.
Titre. III. Collection.
QL737.C27F67 2005   j599.786   C2005-941422-7

La publication de cet ouvrage a été réalisée grâce au soutien financier de la
SODEC et du Conseil des Arts du Canada. De plus, les Éditions Michel Quintin
bénéficient de l'aide financière du gouvernement du Canada par l'entremise
du Programme d'aide au développement de l'industrie de l'édition (PADIÉ)
pour leurs activités d'édition.

Gouvernement du Québec – Programme de crédit d'impôt pour l'édition
de livres – Gestion SODEC

Texte adapté du texte original.
Révision linguistique : Rachel Fontaine

Dépôt légal - Bibliothèque nationale du Québec, 2005
Dépôt légal - Bibliothèque nationale du Canada, 2005

©2005 Éditions Michel Quintin
C.P. 340, Waterloo (Québec)
Canada   J0E 2N0
Tél. : (450) 539-3774
Téléc. : (450) 539-4905
Site Internet : www.editionsmichelquintin.ca

Imprimé au Canada
ISBN 2-89435-292-1   0 5 K 2 1